JOEP

gaat logeren

Eerder verschenen:

Joep gaat verhuizen
Joep en zijn dieren
Joep heeft vakantie
Joep breekt zijn been
Joep leert schaatsen

Joep gaat logeren / Joke van Wijgerden
Illustraties: Roelof Wijtsma

ISBN 90-5952-075-0
NUR 281
A.V.I. 4

© Uitgeverij Mes, Capelle aan den IJssel 2006

Joke van Wijgerden

JOEP
gaat logeren

Uitgeverij Mes  Capelle aan den IJssel

Inhoud

1. Joep hoeft niet naar school

Kijk, daar gaat Joep.
Hij fietst heel hard.
De zij-wiel-tjes van zijn fiets
ram-me-len.

Zijn blonde haren wap-pe-ren
in de wind.
Zo hard rijdt hij.
Joep rijdt tot het eind van de straat.
Daar stapt hij af.
Hij keert zijn fiets en gaat
weer naar huis.
Hij rijdt de oprit op en maakt
een rondje om de auto
van zijn moeder.
Dan rijdt hij weer tot het
eind van de straat.
Zo hard als hij maar kan.
Dat heeft Joep al
zes keer gedaan.
Waarom doet hij dat toch?

Joep was eerst binnen.
In de kamer.
Daar liep hij maar heen en weer.
Toen ging hij naar de keuken.
Toen naar boven en weer
terug naar de kamer.

Dat deed hij wel zes keer.
En mis-schien wel meer.
Zijn moeder vroeg:
Weet je wat ik zou willen, Joep?
Joep wist het niet.
Moeder zei:
Ik wou dat jij maar naar school ging.
Joep zei:
Ik hoef toch niet naar school.
Het is toch va-kan-tie?
Ik heb toch herfst-vakantie?
Moeder lachte:
Ja, dat weet ik wel.
Maar ik word zo moe van dat
heen en weer lopen.
Weet je wat...
Ga maar een poosje op
straat fietsen.
Daarom fietst Joep nu
van zijn huis tot het
eind van de straat, en
weer terug.

Het duurt wel lang
voordat oma komt.
Joep wacht op oma.
Zij komt hem halen.
Joep mag drie nachtjes bij
oma en opa gaan slapen.
Dat is best lang.
Hoe laat zou oma komen?
Joep laat zijn fiets zomaar
midden op de oprit staan.
Hij vergeet he-le-maal dat de
fiets daar niet mag staan.

Joep holt naar de keu-ken-deur
en roept heel hard:
Mama... mama...!
Hoe laat komt oma mij halen?
Zijn moeder is in de keuken.
Ze zegt:
Oma komt om twee uur.
Dat duurt niet zo lang meer.
Kijk maar op de klok.
Joep kijkt op de keu-ken-klok.

Hij kan al een beetje klok-kij-ken.
De grote wijzer staat op de elf.
De kleine wijzer staat bijna op de twee.
Dan is het al gauw twee uur.

Joep holt naar de gang.
Zijn moeder vraagt:
Waar ga je naartoe, Joep?
Ben je nu al klaar met fietsen?
Joep roept:
Ik moet even kijken of mijn
koffer er nog staat!
Moeder lacht weer en zegt:
Wie zou die koffer
weg kunnen halen?
Niemand toch.
De koffer staat netjes
achter de voordeur.
En de voordeur is op slot.

Joep ziet zijn koffer staan.
Die heeft hij van oma ge-kre-gen,
toen hij jarig was.

De koffer is blauw.
Er staan een jongen en een
meisje op.
Dat zijn Jip en Janneke.
Hij heeft een Jip en Janneke-koffer.
Joep vindt de koffer wel mooi, maar
meer voor meisjes.
Zijn moeder zegt:
Jip en Janneke is voor jongens
en voor meisjes.
Dat zijn de boekjes toch ook?
Die vind jij toch leuk?
Dan denkt Joep er verder maar niet over.

Na het eten heeft Joep
samen met zijn moeder
de koffer in-ge-pakt.
Zijn moeder zei:
Joep, je kleren zitten er nu in.
Er kan nog wel wat speelgoed bij.
Hij had een he-le-boel
spullen op-ge-zocht.
Moeder schrok er van.

Ze zei:
Joep, zoveel dingen kun je
niet mee-ne-men.
Je fiets moet ook mee.
Breng maar wat terug
naar je kamer.
Joep zuchtte:
Mama weet het altijd beter.

Joep is weer aan het eind
van de straat.
Hij is net bezig zijn fiets te keren.
Dan ziet hij de auto van
oma aan-ko-men.
Vlug stapt hij op zijn fiets.
Hij rijdt héél hard.
Kijk, zijn haren wap-pe-ren
weer in de wind.
De zij-wiel-tjes ram-me-len.
Joep roept zo hard als hij kan:
Oma... oma... wacht even!
Ik kom er aan!

2. Bollen poten

Joep heeft lekker ge-sla-pen.
Bij oma op zolder.
Daar staat een groot bed.
Joep was in het midden van het
bed gaan liggen.
Hij was heel diep onder het grote
dekbed ge-kro-pen.
Heerlijk warm was dat.
Joep ging heel laat naar bed.
Opa zei:
Nu je bij ons bent, mag
je laat naar bed.

Het grote bed staat
onder het dak.
In dat dak is een raam.
Dat raam staat schuin,
net als het dak.
De zon schijnt er door, als

Joep wakker wordt.
Hij denkt:
Waar lig ik nu toch?
Dan weet hij het weer.
Hij ligt bij oma op zolder.
Joep gaat midden in het grote
bed staan.
Hij wil door het
dakraam naar
buiten kijken.
Dat lukt niet.
Hij springt
omhoog,
maar dan
kan hij nog
niet door het
dakraam kijken.
Joep valt om.
Hij springt nog
een keer.
Het lukt
weer niet.
Joep vindt het

een leuk spel-le-tje.
Springen... en om-val-len.
Hij vergeet dat hij
naar buiten wil kijken.

Dan roept oma:
Joep... Joep... kom je?
Je bent toch hier om opa te helpen?
Hij springt uit bed.
O ja... hij moet opa helpen.
Dat is waar ook.
Hij heeft het opa beloofd.

Op de keuken-tafel staat een bordje.
Er liggen twee be-schuit-jes op.
Oma heeft er lekker dik
boter en suiker op gedaan.
Joep likt er aan.
Hij zegt: Hmmm... lekker oma!
Dit krijg ik van mama nooit.
Oma lacht:
Als jij bij oma bent,
mag ik je ver-wen-nen.
Of niet soms?

Opa bromt:
En wanneer word ik verwend!
Joep roept:
Alleen kin-de-ren worden verwend.
Joep eet zijn be-schuit-jes lekker op.
Hij krijgt ook nog een kopje thee.

Na het eten kleedt
Joep zich vlug aan.
Hij gaat naar buiten.
Opa is al in de schuur.
Joep vraagt:
Opa, wat gaan we doen?
Gaan we weer tim-me-ren?
Opa zegt:
Nee, vandaag niet.
We gaan iets heel anders doen.
Kom maar eens mee.

Opa loopt naar de voorkant
van het huis.
Daar is de voortuin.
Hij zegt:

Kijk eens wat ik hier heb.
Weet jij wat dat is?
Joep schudt zijn hoofd.
Opa laat het zien.
Kijk... ik houd het aan
het handvat vast.
Dan zet ik dat ronde ding,
dat aan de on-der-kant zit,
in de grond.
Kijk... ik draai en
ik duw gelijk.
Ik draai en duw tot ik het ijzer
niet meer kan zien.
Dan haal ik het ding
weer uit de grond.

Joep zit op zijn knie-ën.
Hij kijkt heel goed en roept:
Kijk, opa, er is een mooi
kuiltje in de tuin ge-ko-men!
Opa lacht en zegt:
De grond die eerst in de tuin was,
zit nu in mijn bollen-poter.

Joep vraagt:
Is dat een bollen-poter?
Opa zegt:
Jij hebt goed ge-luis-terd.
Met de bollen-poter gaan we
bloem-bol-len poten.

Opa stopt de bollen-poter
weer in de grond.
Er komt weer een kuiltje.
Steeds een eindje verder.
Joep mag het ook pro-be-ren.
Het is best moeilijk.
Joep kan het niet met één hand.
Hij doet het met twee handen.
Zijn tong komt uit zijn mond,
zo hard moet hij
duwen en draaien.
Het lukt een klein beetje.
Het kuiltje is niet zo diep.

Opa zegt: Kom Joep, we gaan
de bloem-bol-len halen.

Opa en Joep gaan naar de schuur.
In een mandje liggen
een he-le-boel bollen.
Er liggen er ook een paar
in een kistje.
Joep vraagt:
Opa, zijn dat uien?
Ze lijken er wel een beetje op.
Opa draagt het mandje.
Joep draagt het kistje.
Ze zetten het mandje en het kistje
bij de kuiltjes op de grond.
Opa zegt:
We leggen in elk kuiltje
een paar bollen.
Joep mag ook bollen
in de kuiltjes leggen.
De puntjes moeten omhoog.
Het is leuk werk.
Zo, zegt opa, nu maken we
de kuiltjes weer dicht.
We doen met de hark
de grond er weer over.

Joep vraagt:
Opa, waarom doen wij al die
bollen in de kuiltjes?
Opa vertelt:
Nu is het herfst.
Dat weet jij wel, hè?
In de herfst moeten de bloem-bol-len
in de grond.
Na de herfst wordt het winter.
Joep zegt:
En na de winter komt de lente.
Goed zo! zegt opa.
In de lente schijnt de zon
warm op de grond.
De bollen worden dan ook warm.
Er komen blaadjes en knopjes aan.
Die groeien steeds verder
boven de grond uit.
De knopjes worden bloemen:
Tulpen en nar-cis-sen.
Dan is ie-der-een blij, omdat de
lange winter bijna voorbij is.
Maar... als je in de herfst geen

bollen in de grond stopt,
heb je in de lente
geen bloemen.
Daarom stoppen wij ze er wel in.

3. Naar het bos

Joep wordt weer wakker
in het grote bed.
Het is donker op de zolder.
De zon schijnt niet
door het dakraam.
Joep gaat weer springen, om
door het raam te kijken.
Hij kan niks zien.
Het lijkt wel of er
een grijs gordijn
voor het raam zit.

Joep gaat vlug naar be-ne-den.
Hij roept:
Oma... oma... zit er
een grijs gordijn
voor het raam?
Oma lacht: Welnee jongen.
Dat is de mist.

Kijk maar door het raam.
Je kunt het eind van de tuin
bijna niet zien.
Joep vraagt:
Oma, waar is de zon nu?
De zon is er wel, Joep.
Achter de mist en
achter de wolken
schijnt de zon.
Straks gaat de zon het winnen
van de mist.
Dan komt de zon
door de mist heen.
De mist gaat dan weg.
Joep zegt : Ik wil liever
dat de zon schijnt.

Joep gaat niet naar buiten.
Opa blijft ook binnen.
Joep gaat een te-ke-ning maken.
Opa leest de krant.
Een poosje later vraagt opa:
Joep, wat heb je ge-te-kend?

Kijk maar, zegt Joep.
Op zijn blaadje staan
tulpen en nar-cis-sen.
Opa lacht en zegt:
Bij jou zijn de bloemen wel
heel snel gegroeid.
Gis-te-ren hebben we
de bollen gepoot.
Nu heb jij al bloemen!
Joep moet er ook om lachen.
Hij zegt:
Bij mij duurt het geen
hele lange winter.

Oma komt de kamer binnen.
Ze vraagt:
Hebben jullie al gezien dat de
zon een beetje schijnt?
De mist is bijna weg.
Kijk eens wat ik hier heb.
Opa zegt:
Heerlijk, koffie met koek!
Daar was ik echt aan toe.

Joep krijgt in een kopje ook
een beetje koffie.
Met veel melk en veel suiker.
Hij zegt:
Dat is lekker... koek
met boter er op.
Mama doet dat nooit.
Opa zegt: Oma weet wel wat lekker is.

Ze krijgen alle drie
nog een kopje koffie.
Oma zegt:
Kijk eens naar buiten, Joep.
Joep gaat naar het raam.
De mist is er niet meer.
Opa zegt:
Dan zullen we eens gaan.
Trek je laarzen maar aan, Joep.
We gaan wan-de-len, in het bos.

Ze gaan met de auto.
Oma gaat ook mee.
Het bos is een eindje ver-der-op.
Opa zegt:

Joep, zie je daar al die bomen?
Daar is het bos.
Bij het bos is een par-keer-plaats.
Daar zetten ze de auto neer.
Opa doet hem goed op slot.
Dan gaan ze wan-de-len.

Opa vraagt:
Zie je die paaltjes?
Joep zegt:
Er staan er drie.
Ze zijn al-le-maal ver-schil-lend.
Eén paaltje is rood geverfd.
Het tweede is geel en
het derde is blauw.
Opa zegt:
Wij volgen het pad waar
de blauwe paal naar wijst.
Daar gaan we heen.
Als je goed oplet, zie je
meer blauwe paaltjes.
Staks komen we hier weer terug.

Daar gaan ze dan.

Het pad is smal.
Ze kunnen niet naast
elkaar lopen.
Telkens zien ze een blauw paaltje.
Joep roept dan:
Hier moeten we heen!
Ik zie weer een blauw paaltje!

Er staan veel bomen in het bos.
Oma vraagt aan Joep:
Weet jij wat dit
voor een boom is?
Joep weet het niet.
Oma vraagt:
Wat stop jij steeds

in je broekzak?
Joep zegt:
Deze ronde, bruine dingen?
Dat zijn toch kas-tan-jes?
Ja, dat zijn kas-tan-jes.
Die zijn uit deze boom ge-val-len.
Dit is een kastanje-boom.

Opa zegt:
Kijk eens wat ik hier heb.
Hij heeft een plastic-tasje.
Daar kun je veel
kas-tan-jes in doen.
Oma helpt met zoeken.
Even later is het tasje bijna vol.
Dan gaan ze weer verder.

Op een ander pad
liggen geen kas-tan-jes.
Joep vraagt:
Wat zijn dit, oma?
Deze rare dingen?
Oma zegt:

Dit zijn beuken-nootjes.
De boom waar ze aan groeien
heet beuken-boom.

Op een ander pad liggen
an-de-re dingen.
Joep zegt:
Deze dingen zijn niet bruin.
Ze zijn groen.
Het lijkt wel of ze een
hoedje op hebben.
Oma zegt:
Dit zijn eikels.
Joep lacht:
Eikels van de eikel-boom?
Opa zegt:
Mis...!
Eikels vallen van de eik.
Ze zoeken nog meer eikels.
Die doen ze in een ander tasje.
Opeens zien ze de drie
paaltjes weer staan.
Ze zijn weer bij het begin.

4. Paddestoelen

Opa, oma en Joep
gaan weer naar de auto.
Joep vraagt:
Gaan we al naar huis?
Ik wil best nog even blijven.
Oma zegt:
Dat komt mooi uit.
Opa pakt een grote tas
uit de auto.
Dan lopen ze naar
een houten tafel, met
banken er omheen.
Ze gaat zitten en opa zet
de tas op de tafel.
Oma haalt er van alles uit:
Een zak broodjes...
Be-ker-tjes...
Een ther-mos-kan met koffie.
Een paar flesjes cho-co-mel.

Opa zegt:
Dat zal wel smaken
na zo'n lange wan-de-ling.
Maar we doen net als thuis:
We gaan eerst bidden.
Joep eet twee broodjes met kaas.
De cho-co-mel smaakt heel lekker.

Als ze klaar zijn met eten
zet opa de tas weer in de auto.
Er is niet veel meer over.
Oma zegt:
Nu gaan we de andere kant op.
We volgen nu de rode paaltjes.
Soms lopen ze op een smal pad.
Dan over een breed pad.
Ze lopen ook over het mos,
onder de bomen door.
Joep vindt het fijn in het bos.

Plot-se-ling staat Joep stil.
Hij roept:
Oma, waar zijn de tasjes

met de kas-tan-jes en
de beuken-nootjes?
Die zou u toch dragen?
We zijn ze kwijt.
Opa zegt:
Welnee, ik heb de tasjes
in de auto gezet.
Joep zucht: Ge-luk-kig...!
Dan heb ik alles niet
voor niks gezocht.

Joep vraagt:
Oma heeft u nog meer tasjes?
Ze heeft er nog één.
Joep zoekt veertjes van vogels.
Soms ziet hij een mooi takje.
Of een leuk blad.
Hij blijft maar zoeken.
Oma helpt mee.

Dan roept opa:
Kijk hier eens, Joep!
Zoiets heb je nog nooit gezien!

On-der-aan een boom
staan padde-stoelen.
Joep roept:
Die zijn mooi.
Rood... met witte stippen.
Wij leerden van de juf:

Op een grote pad-de-stoel
Rood met witte stippen
Zat ka-bou-ter Spil-le-been
Heen en weer te wippen.

Oma zegt:
Zulke padde-stoelen bestaan echt.
Nu heb jij ze zelf gezien.
Maar ka-bou-ter Spil-le-been...
dat heeft iemand ver-zon-nen.

Joep gaat op zijn knie-ën zitten.
Hij vindt de padde-stoelen heel mooi.
Joep vraagt:
Opa, mag ik er één plukken?
Net als bloemen?

Opa zegt:
Dat moet je niet doen, want
als je ze plukt zijn
padde-stoelen zo dood.
Ik denk al voor we er
mee thuis zijn.
We laten ze mooi staan.

Even later lopen ze langs een
straat waar huizen staan.
Opa zegt:
Zie je dat, Joep?
Hier wonen ook mensen.
Joep zegt:
Ik wil hier best wel wonen.
Dan ga ik elke dag kas-tan-jes en
an-de-re dingen zoeken.

Oma vraagt:
Ben je nog niet moe, Joep?
Joep zegt:
Een klein beetje.
Gaan we ergens rusten?

Opa zegt:
Misschien wel.
Als we nog een eindje lopen, is er
een mooie plaats om te rusten.

Dan blijft Joep staan.
Hij roept: Kijk daar eens...!
Dat wist u zeker, hè?
Daar is een speeltuin!
Gaan we daar naar toe?
Oma zegt:
We gaan in de speeltuin
even rusten.

Ze zoeken een mooi plaatsje
om te zitten.
Joep krijgt een flesje cola.
Oma neemt een glaasje ap-pel-sap.
Opa heeft liever een kopje koffie.
Joep vergeet he-le-maal
dat hij moe is.
Als de cola op is, springt
hij van zijn stoel.

Opa zegt:
Wacht even, Joep.
Als je in de speeltuin wilt, moet
je geld be-ta-len.
Opa geeft Joep een euro.
Oma en opa blijven rustig zitten.
Joep holt naar de ingang
van de speeltuin.
Er staat een jongen bij het hek.
Joep geeft de euro.
De jongen zet een stempel
op de hand van Joep.
Dat be-te-kent dat hij heeft betaald.
Nu kan hij gaan spelen.

Joep gaat eerst naar de glijbaan.
De trap naar de glijbaan
is heel hoog.
Er zijn heel veel treden.
Joep vindt dat niet erg.
Als hij bo-ven-aan is gaat hij zitten.
En roets... daar gaat hij
naar be-ne-den.

Joep klimt nog een paar keer
de hoge trap op.
Heerlijk is dat, om zo snel
over de glijbaan naar
be-ne-den te gaan.
Dan gaat Joep op de schommel.
Eerst gaat hij niet zo hard, maar
dan staat opa opeens achter hem.
Hij geeft Joep een paar flinke duwen.
Joep roept:
Goed zo, opa!

Nog harder... ik wil heel hoog!
Na het schom-me-len holt hij weer
ergens anders heen.
Joep wil alles doen.
Hij vindt het heel leuk
in de speeltuin.

5. De blaadjes vallen

Kijk, daar gaat Joep.
Hij gaat nog even fietsen.
Hij rijdt heel hard.
Zijn blonde haren
wap-pe-ren in de wind.
De zij-wiel-tjes van zijn
fiets ram-me-len.
Joep rijdt langs de stoeprand.
Daar liggen heel veel blaadjes.
Die zijn al-le-maal van
de bomen gewaaid.

Joep zingt een liedje.
Dat heeft hij op school geleerd.
Een liedje van de herfst.

Herfst, herfst...
Wat heb je te koop?
Honderd duizend blaadjes

op een hoop.

Joep zingt nog een lied.

Nu is het herfst.
De blaadjes vallen.
Nu is het herfst.
In ieder bos.

Joep kijkt omhoog.
In de lucht waaien
nog steeds blaadjes.
Ze dwar-re-len naar be-ne-den.
Er liggen er al heel veel op straat.
Er hangen ook nog veel
blaadjes aan de bomen.
Joep weet dat in de herfst de
blaadjes van de bomen vallen.
Dat heeft de juf verteld.
Eerst waren de blaadjes groen.
Nu worden ze geel en bruin.

Joep zet zijn fiets

even aan de kant.
Hij pakt een hand vol blaadjes.
Hij springt omhoog en
gooit de blaadjes weg.

Heel hoog boven zijn hoofd.
Dat is mooi.
Hij maakt nog meer herfst.
Joep pakt nog een hand vol
en springt weer.
Hij gooit ze weer omhoog.
Wat is het fijn dat het herfst is.

Joep gaat weer fietsen.
Hij rijdt héél hard door
de blaadjes heen.
Ze gaan alle kanten uit.
De wind blaast de blaadjes
nog verder weg.
Leuk is dat.
Ze maken een mooi geluid!

Joep is heel druk bezig.
Hij ziet niet dat
de zon weg gaat
en de lucht heel
donker wordt.
Dan schrikt Joep.

Wat voelt hij op zijn hoofd?
Hij kijkt omhoog.
Hij ziet dikke regen-druppels.
Er komen er steeds meer.
Wat een bui, zomaar opeens.
Zijn haren worden al
een beetje nat.
En zijn trui ook.
Joep is in zijn trui
naar buiten gegaan.
Hij heeft geen jas aan.
Hij zal maar terug gaan.
Joep is een eind van het huis
van oma vandaan.
Hij heeft heel ver door de
blaadjes gefietst.
Daar gaat Joep.
Zijn haren wap-pe-ren nu niet.
Die worden kletsnat.
De zij-wiel-tjes van zijn fiets
ram-me-len wel heel hard.

Opa staat bij het hek.
Hij roept:

Joep... Joep...!
Je moet binnen komen.
Je wordt veel te nat.
En je hebt geen jas aan.
Je wordt nog ziek!
Joep roept niet terug.
Hij kan niet roepen.
Hij is erg moe van het
harde fietsen.

Joep rijdt opa heel hard voorbij.
Opa zegt:
Ben je van plan om mij
omver te rijden?
Dat is he-le-maal
een mooie boel!
Joep zet zijn fiets
bij de keu-ken-deur.
Hij holt naar binnen.
Dan zegt hij:
Ik ben lekker eerder binnen dan opa!
Opa moppert:
Ja, dat is niet zo mooi.
Ik ben nog nat ook,

van al die regen.

Oma is in de keuken.
Ze roept:
Blijf staan, Joep!
Zo kun je niet de kamer in.
Ik haal een droge trui voor je.
Even later komt oma terug.
Ze trekt zijn natte trui uit.
En zijn laarzen.
Oma zegt:
Zo, nu de droge trui nog aan.
Dan kun je naar de kamer gaan.
Opa komt ook binnen.
Hij heeft zich af-ge-droogd.
Opa zegt:
Dat is me toch een bui.
Nu is het echt herfst.
We zullen de ver-war-ming
maar eens aan-zet-ten.
Een poosje later is het
lekker warm in huis.

6. Een spinnenweb

Joep is weer he-le-maal droog.
Oma heeft zijn haren netjes gekamd.
Opa vraagt:
En wie kamt mijn haren?
Dat moet ik zeker zelf doen?
Oma zegt:
Ja, dat kun jij zelf wel.
Joep lacht:
Echt zielig hoor, opa!
Er is niemand die u wil helpen.
Opa moppert:
Zo gaat het, als een
mens oud wordt.
Dan pakt Joep de kam.
Hij gaat naar opa en
kamt zijn haar.
Joep zegt:
Stil maar, hoor.
Ik help u wel.

Oma doet het kleed van de tafel.
Ze vouwt het netjes op en brengt
het naar de keuken.
Joep houdt op met kammen.
Hij vraagt:
Oma, wat gaat u doen?
Oma zegt:
We gaan iets leuks maken.
Doe je mee?
Dat wil Joep wel.
Hij gaat bij de tafel zitten.
Oma zegt:
Joep, haal jij even een paar
kas-tan-jes uit de tas.
Dan pak ik een bol-let-je wol.

Joep gaat naar de keuken.
Hij brengt het tasje mee.
Oma heeft een paar
bol-le-tjes wol gepakt.
Ze heeft ook een doosje
op tafel gezet.
Joep gaat weer zitten.

Hij vraagt:
Wat zit er in het doosje?
Oma laat het zien.
Er zitten spelden in.

Oma gaat naast Joep zitten.
Ze pakt een kas-tan-je
uit het tasje.
Dan pakt ze een speld
uit het doosje.
Ze zegt: Kijk, Joep,
die speld prik ik
in de kas-tan-je.
Maar dat gaat niet goed.
De speld wil niet door de
kas-tan-je heen.
Dat is moeilijk.
Even later roept Joep:
Hij zit er in...!

Oma pakt weer een speld.
Die prikt ze voor-zich-tig
een eindje ver-der-op

in de kas-tan-je.
Dan pakt ze nog een speld.
Die gaat in ook de kas-tan-je.
De spelden staan op een rijtje.
Joep zegt:
Nu zitten er al drie spelden in.
Oma gaat verder.
Ze steekt er wel
tien spelden in.
Ze zegt:
Mooi hè, Joep?
Joep knikt.

Dan pakt oma een
bol-le-tje wol.
Ze maakt een klein lusje aan
het begin van de draad.
Dat doet ze voor-zich-tig
om een speld heen.
De draad zit aan de ach-ter-kant.
Het bol-le-tje wol blijft
op de tafel liggen.
Dan doet oma de draad

tussen twee spelden door.
Nu zit de draad aan de voorkant.

Kijk, Joep, nu doe ik
de draad tussen de
vol-gen-de door.
Dan zit de draad weer
aan de achterkant.
Zo ga ik steeds verder.
He-le-maal rond en om
alle spelden heen.

Even later mag Joep
het ook pro-be-ren.
Oma zegt:
Je moet je duim bo-ven-op
de kas-tan-je houden.
En je vingers aan de ach-ter-kant.
In de hand waar
je mee schrijft
houd je de draad.
Joep zucht:
Het is wel moeilijk, hoor.

Hij doet goed zijn best.
Eerst gaat het niet zo goed.
Hij kan de draad niet om de
speld krijgen.
Maar dan gaat het opeens goed.
Joep roept:
Opa, kom eens kijken!
Ik kan het ook!

Opa komt kijken.
Hij zegt:
Ik vind het knap van jou, Joep.
Ik denk niet dat ik het probeer.
Dat is niks voor mij,
dat ge-prie-gel.
Wat moet het worden?
Oma vraagt:
Waar lijkt het een beetje op?
Opa weet het niet.
Joep weet het ook niet.
Oma zegt:
Dit noemt men een spin-nen-web.
Joep zegt:

Het lijkt er wel een beetje op.
Is de kas-tan-je de spin?
Dan is die spin wel erg groot.
Maar het is wel leuk.
Maken we er ook één voor mama?

Joep en oma hebben het heel druk
met spinnen-webben maken.
Het is erg moeilijk.
Dat kun je aan Joep wel zien.
Het puntje van zijn tong
steekt uit zijn mond.
Het duurt lang,
maar Joep maakt
he-le-maal alleen
een spin-nen-web.
Oma maakt er ook nog één.
Ze leggen ze op een rijtje.
Op de kast.
Joep is er trots op.
Hij zegt:
Leuk hè, oma?
Mama vindt het vast prachtig!

7. De molen

Joep heeft nu al drie nachtjes
bij oma en opa ge-sla-pen.
Hij vindt het leuk.
Mis-schien blijft hij
nog wel een nachtje.
Oma gaat straks naar mama bellen.
Ze moet nu eerst de
bedden netjes maken.
En nog an-de-re dingen
in huis doen.

Joep vraagt:
Mag ik een eindje gaan fietsen?
Het is droog buiten.
Oma zegt:
Dat is goed hoor, Joep.
Hoe ver ga je?
Niet te ver gaan, hoor.
Joep zegt:

Ik ga tot de molen.
Dat vindt oma goed.

Bij opa en oma in de straat
staat een molen.
Joep vindt die molen mooi.
Daar gaat Joep.
Zoals altijd fietst hij heel hard.
De zij-wiel-tjes van zijn fiets
ram-me-len weer.
Zijn haren wap-pe-ren niet.
Oma heeft zijn muts op-ge-daan.
Joep vindt dat niet fijn, maar
oma vindt het zonder muts
veel te koud.
Joep houdt de muts maar op.
Hij wil lief zijn voor oma.
De blaadjes zijn weer op-ge-droogd.
Joep fietst er doorheen.
De blaadjes kraken.
De wind waait ze overal heen.
De bomen zijn nog niet leeg.
Er hangen nog blaadjes aan.

Opa heeft gezegd:
Over een paar dagen
zijn ze er al-le-maal af.

Joep staat vlak voor de molen.
Hij gaat rustig op zijn
fiets zitten kijken.
Het is wel mak-ke-lijk,
die zij-wiel-tjes.
Hij kan niet om-val-len.
Opa wil ze er af doen.
Hij zegt:
Joep, ben je niet veel te groot
voor die wieltjes?
Maar Joep wil ze er niet af hebben.

Joep kijkt naar de molen.
Hij vindt de molen heel mooi.
Vooral de wieken.
Die vindt hij het mooist!
De molen heeft vier wieken.
Als de wieken stil staan
kan hij ze tellen.

Vandaag draaien de wieken rond.
Dat gaat heel snel.
De ogen van Joep draaien
ook heel snel.

Hij wil de bo-ven-ste wiek na-kij-ken,
maar die is zo weer on-der-aan.
Welke was het eerst bo-ven-aan?
Joep weet het niet meer.
Hij roept:
Wieken, sta eens even stil!
Maar de wieken staan niet stil.
Ze draaien maar door.
Dan roept Joep:
Wieken, is dat leuk,
dat draaien in de wind?
Doen jullie een spel-le-tje?
Willen jullie elkaar voor-bij-gaan?

Opa heeft verteld hoe de
wieken kunnen draaien.
Dat komt door de wind.
De wind blaast tegen
de wieken aan.
De mo-le-naar is
de baas van de molen.
Hij moet de wieken
goed voor de wind zetten.

Dan kan de wind er
tegen blazen.
De wieken kunnen elkaar nooit in-ha-len.
In het midden zitten ze vast.
Ze gaan altijd om de beurt.
Joep draait nog eens
met zijn ogen.
Hij kijkt de wieken nog eens na.

Joep gaat weer fietsen.
Hij denkt:
Ik ga toch maar liever fietsen.
Die wieken gaan wel heel
snel in het rond.
Ik word nog mis-se-lijk, als
ik blijf kijken.
Hij fietst heel hard naar oma.

Oma is nog niet klaar.
Opa ook niet.
Hij moet nog aard-ap-pels schillen.
Joep zoekt zijn teken-spullen op.
Hij gaat aan de keuken-tafel zitten.

Joep tekent een molen.
Een molen met vier wieken.
Op één wiek tekent hij een jon-ge-tje.
Oma ziet het en vraagt:
Wie is dat jon-ge-tje op die wiek?
Joep zegt:
Dat ben ik.
Ik draai mee in het rond.
Oma vraagt:
Durf jij dat?
Joep lacht:
Op de te-ke-ning wel.
Dan gaat oma bellen.
Joep mag ook even met
zijn moeder praten.
Ja hoor, ze vindt het goed!
Joep mag nog een nachtje blijven.

8. Dolfijnen

Opa, oma en Joep
zitten in de auto.
Joep vraagt steeds:
Opa, waar gaan we heen?
Opa zegt:
Wacht maar rustig af.
Dat is een ver-ras-sing.
Joep probeert het nog een keer.
Oma, waar gaan we heen?
Oma zegt:
Ik weet het niet.
Opa heeft het ver-zon-nen.
Hij weet het alleen.
Het is voor mij ook
een ver-ras-sing.
Joep houdt maar op met vragen.
Opa zegt:
Het is wel een eind rijden.
Ik denk dat jij nog nooit

zo ver bent geweest.

Joep kijkt naar buiten.
Het is hier mooi.
Er zijn geen dijken.
Er is ook geen rivier.
Waar Joep woont
is wel een rivier.
Hier zijn heel veel bomen.
Dat zijn bossen.

Opa rijdt een par-keer-plaats op.
Joep vraagt:
Zijn we er nu?
Opa zegt:
Welnee, we gaan uit-rus-ten.
Ze drinken wat en opa en
Joep voet-bal-len even.
Oma wandelt een eindje.
Soms moet ze de bal terug-gooien.
Opa schopt hem wel eens te ver.

Even later gaan ze weer verder.

Opa zegt:
Over een uurtje zijn we er.
Joep is nog steeds nieuws-gie-rig,
maar hij vraagt niets meer.
Hij weet best dat opa
toch niks verklapt.
Die gaat hem alleen maar plagen.
Het duurt wel erg lang.
Hij vindt het niet leuk om
zo lang in de auto te zitten.

Dan rijdt opa een hele
grote par-keer-plaats op.
Er staan heel veel auto's.
Opa moet bijna tot het eind rijden
om een plaats te vinden.
Dat lukt nog net.
Ze moeten een eind terug lopen.
Joep kijkt nieuws-gie-rig rond.
Hier is hij nog nooit geweest.
Er staan borden, met
letters er op.
Joep vindt het jammer dat

hij nog niet kan lezen.

Ze komen bij een kassa.
Hier moet opa be-ta-len.
Hij krijgt kaartjes.
Opa zegt:
Het kost hier wel veel.
Dat moet dan maar.
Een eindje verder staat een jongen.
Hij moet de kaartjes zien en
scheurt er een stukje af.

Dan zegt opa:
Nu zijn we er.
Dit is de ver-ras-sing.
Daar, waar al die mensen staan,
gaan we naar binnen.
Ze moeten even in de
rij gaan staan.
De deur zit nog dicht.
Ein-de-lijk gaat de deur open.
Ze kunnen naar binnen.
Joep houdt oma's hand goed vast.

Hij is bang dat hij oma kwijt
raakt tussen al die mensen.

Ze komen in een groot gebouw.
Joep kijkt omhoog.
Het dak is rond.
In het midden is een
groot zwembad.
Daar kun je omheen lopen.
Het is wel een erg groot zwembad.
Wat is er veel lawaai...
Het klinkt heel raar.
Alle mensen praten te-ge-lijk.
Opa zegt:
Kom... we kunnen daar nog
vooraan zitten.

Alle mensen zitten rond het zwembad.
Er zijn heel veel trappen
waar je op kan zitten.
Tot aan het dak toe.
Opa maakt weer een grapje.
Hij zegt:

Joep, tel jij alle kin-de-ren, dan
zal ik de grote mensen tellen.
Er zitten zoveel mensen.
Ze zijn niet te tellen.

Er begint iemand te praten.
Door een mi-cro-foon.
Joep kan niet zien wie het is.
Hij kan het ook niet goed verstaan.
Het geluid komt uit het dak.
Vooraan, bij het zwembad,
staat een man.
Die blaast op een fluitje.
Dan komen er drie
grote dol-fij-nen
in het zwembad.
Ze zwemmen het hele
bad rond.
Joep gaat staan.
Dat wil hij
goed zien.
De dol-fij-nen
springen omhoog.

Ze pakken heel hoog
boven het water een vis
uit de hand van de man.
Dan zwemmen de dol-fij-nen
weer het zwembad rond.
Hoog boven het water
is een touw ge-span-nen.
De dol-fij-nen springen
alle drie gelijk omhoog.
Ze springen over het touw heen
en plonzen weer in het water.
Het water spat alle kanten op...
Tot op de voorste rij.
Joeps gezicht is nat.
Zijn broek ook.
De dol-fij nen doen nog meer kunstjes.
Wat is dat mooi!

Ze gaan weer naar buiten.
Daar is nog een zwembad.
Hier zwemmen zee-hon-den.
Die krijgen eten.
Ze slikken zomaar hele

vissen naar binnen.
Er zijn ook win-kel-tjes.
Joep mag iets kiezen van oma.
Hij kiest een pen, met
dol-fij-nen er op.
Oma koopt een mooie handdoek.
Daar staan ook dol-fijn-en op.

Joep vraagt:
Opa... mag je nog een keer
bij die dol-fij-nen kijken?
Opa zegt:
Ik denk het wel.
Ze gaan weer in de rij staan.
Joep wil vooraan zitten.
Hij wil weer nat worden.
Joep wil wel de hele tijd
naar de dol-fij-nen kijken.
Hij vindt het zó mooi.
Wat kunnen die dieren hoog springen!

9. Weer thuis

Joep is weer thuis.
Opa en oma hebben hem naar
huis gebracht.
Joep heeft heel veel te ver-tel-len.
Opa en oma drinken nog even koffie.
Zijn moeder vraagt:
Is Joep lief geweest bij jullie?
Opa plaagt:
Hij was best lief, maar
hij eet je de oren
van je hoofd af.
Joep plaagt ook:
Dat kan niet, want ze
zitten er nog aan.
Kijk maar...
Joep trekt heel hard
aan een oor van opa.
Dan loopt hij weg.
Opa roept:
Ho eens even...!

Hij probeert Joep te pakken.
Maar Joep is vlug.
Die staat al buiten.

Hij gaat een eindje fietsen.
Tot het eind van de straat
en weer terug.
Er is geen één vriendje op straat.
Dan gaat Joep maar weer naar binnen.
Opa en oma zijn er nog.
Ze willen juist weg gaan.
Moeder vraagt:
Joep, heb je oma en opa
al bedankt voor alles?
Dat hoort zo.
Joep zegt niks.
Hij wil opa en oma geen
hand geven.
Zijn vader zegt:
Joep, geef oma eens een hand!
En bedank eens netjes.
Joep doet het niet.
Hij pakt een bal.

Hij schopt de bal door de kamer.
Moeder zegt:
Joep, je kunt in de kamer
niet voet-bal-len.
Dat weet je best.
Joep doet net of hij niks hoort.

Oma kijkt een beetje ver-drie-tig.
Ze zegt:
Kom, opa, we gaan
naar huis.
Moeder roept
tegen Joep.
Joep... leg die bal weg!
Zeg oma goede dag!
Joep gaat boos op de
bank zitten.
Hij zegt: Oma is stom.
Ie-der-een is stom!
Zijn vader maakt
zich boos.
Dit kan niet hoor, Joep.
Zulke woorden zeg je niet.

En zeker niet tegen oma.
Moeder zegt:
Wat is dit nu opeens?
Het was zo fijn bij oma en opa.
En nu doe je zo.
Dat begrijp ik niet.
Dan pakt vader Joep bij zijn arm.
Hij zegt heel streng:
Kin-de-ren die zo doen,
gaan naar boven!
Naar hun kamer.
Maak dat je boven komt!
Ze horen Joep nog zeggen:
Stomme papa.
Dan gaat hij naar boven.

Oma en opa gaan naar huis.
Ze zijn een beetje ver-drie-tig.
Moeder zegt nog een keer:
Dit begrijp ik niet.
Hij vond het zo fijn bij jullie.
Hij wilde nog wel een
nachtje langer blijven.

En nu doet hij zo.
Opa zucht:
Laat maar... hij is vast moe.
Even later rijden opa en oma weg.
Vader en moeder zwaaien hen na.

Vader gaat de krant lezen.
Moeder gaat de boel op-rui-men.
Ze zijn er stil van.
Joep vond het leuk om bij
oma en opa te lo-ge-ren.
En nu is alles zo ver-drie-tig.
Na een poosje is het tijd
om brood te eten.
Moeder dekt de tafel.
Dan gaat ze toch maar
even boven kijken.
Heel voor-zich-tig gaat ze de trap op.
Zachtjes doet ze de deur
van Joeps kamer open.
Wat ziet ze daar?
Joep ligt op bed.
Zijn knuf-fel-beer heeft hij in zijn arm.
Joep slaapt...

Moeder moet toch even lachen.
Joep ligt met zijn schoenen aan
op bed.
Heel voor-zich-tig doet ze
de schoenen uit.
Moeder zet ze onder het bed.
Uit de kast in de
an-de-re kamer
pakt ze een slaapzak.
Heel zacht legt ze die
over Joep heen.
Ze denkt:
Zo wordt hij niet koud.
Laat hem maar even slapen.
Dan gaat zijn boze bui wel over.
Op haar tenen gaat ze de trap af.

Vader vraagt:
Waar is Joep?
Heb je hem niet mee
naar be-neden gebracht?
Moeder zegt:
Joep slaapt als een os.

Die wordt niet wakker.
Ik denk dat hij heel moe is.
Opa en oma hebben zoveel
met hem gedaan.
Ja, dat is waar..., maar
dan mag hij nog niet
zulke le-lij-ke woorden
tegen oma zeggen.

Joep slaapt tot de vol-gen-de morgen.
Als hij wakker wordt,
kijkt hij rond.
Hij denkt:
Ik heb mijn kleren nog aan.
Hoe kan dat nou?
Dan weet hij het weer.
Hij was boos...
En hij was moe...
Dan gaat hij naar be-ne-den.
Joep pakt zijn teken-spullen.
Moeder vraagt:
Joep... ga je zo vroeg al te-ke-nen?
Joep zegt:

Ik maak een mooie te-ke-ning voor oma.
Mag ik die op-stu-ren ?
Moeder zegt:
Dat zou ik maar doen.
Dan is oma niet ver-drie-tig meer.

Joep doet heel goed zijn best.
De te-ke-ning wordt mooi.
Hij tekent de dol-fij-nen.
Ze springen heel hoog.
Als Joep klaar is vraagt hij:
Mam, schrijf jij voor mij
bij de te-ke-ning?
Moeder vraagt:
Wat moet ik schrijven?
Joep denkt even na.
Dan zegt hij:
Schrijf maar... eh...:
Lieve opa en oma.
Het was heel fijn bij jullie.
En ik zal nooit meer boos zijn.
De groeten en een kus van Joep.